W9-BRY-932

El tucán y el arcoiris
The Toucan and the Rainbow

Idea original de Greta Capelli y Roberto Boccanera
© de las ilustraciones: María Elena Valdez
Diseño y diagramación: María Elena Valdez
Asesoría literaria: Jorge Boccanera
Asesoría científica: Juan Diego Vargas

Pachanga KIDS Costa Rica

San José, Costa Rica
Tel (506) 22252492 | 22802521
info@pachangakids.com

Segunda edición - Mayo 2017 - 3,000 ejemplares
Impreso en WKT, China

863.44 Ross Lemus, Yazmín .
R823t El Tucán y el Arcoiris = The Toucan & the Rainbow / Yazmín Ross Lemus ; traducido por Carol Weir ; ilustraciones por María Elena Valdéz. -- 2a ed. -- San José, Costa Rica: Producciones del Río Nevado, 2017.
32 p. ; 21 x 24 cm (Colección: Pachanga Kids, No. 11)

ISBN 978-9930-9529-1-7

1. LITERATURA INFANTIL - COSTA RICA. 2. LITERATURA
I. Weir, Carol, tr. II. Valdéz, María Elena, tr. III. Título.

El tucán y el arcoiris

The Toucan and the Rainbow

Dedicado al **Bosque Eterno de los Niños**,
protegido por niños y niñas de todo el mundo.

Dedicated to **Children's Eternal Rainforest,**
protected by boys and girls from all over the world.

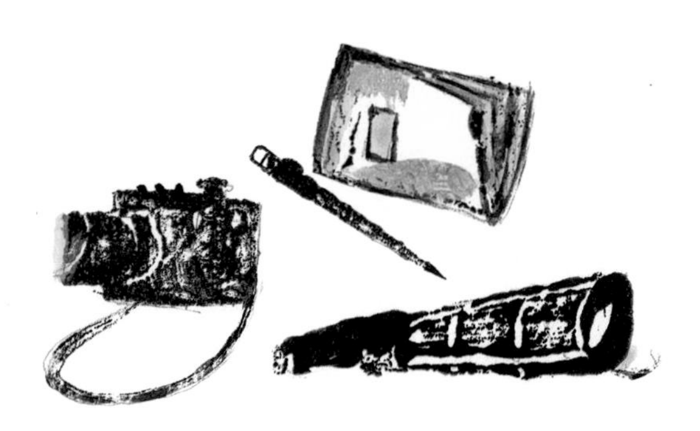

Hay pájaros con pico y picos con pájaro.

All birds have beaks. Some beaks are bigger than their birds.

El que vuela en esta historia es Tokú,
y es todo negro de la cabeza a los pies.
Por más que aleteaba, cargando tremendo
aparato, nadie en la selva lo veía.
Tokú estaba aburrido de no tener un traje llamativo.

The flying star of this story is Tokú.
He's black from head to toe.
As he flapped, weighed down by his trumpet beak,
the animals of the forest couldn't see him.
Some bright feathers and flashy colors
would make them appreciated him.

¿Dónde se consiguen los colores?, preguntó Tokú.
¿Dónde nace el amarillo?
¿Con qué pincel tendré mi brillo?
Quiero colores que sean todos míos.

"How can I get colors?" Tokú wondered.
"Where does yellow come from?
What paintbrush will make me shine?
I want colors that are all mine."

Un día, volando por el bosque nuboso,
tropezó con un colibrí.
Tokú dio vueltas alrededor de colibrí garganta de fuego,
sorprendido de ver tantos colores en un ave tan pequeña.
Colibrí era un poco presumido,
y Tokú: “¿De dónde sacaste ese vestido?”.

One day, flying through the rainforest,
Tokú ran into Hummingbird.
Surprised to see so many colors on such a small bird,
Tokú flew in circles around his friend.
Proud Hummingbird showed off his fiery breast.
“How did that red get on your chest?” Tokú asked.

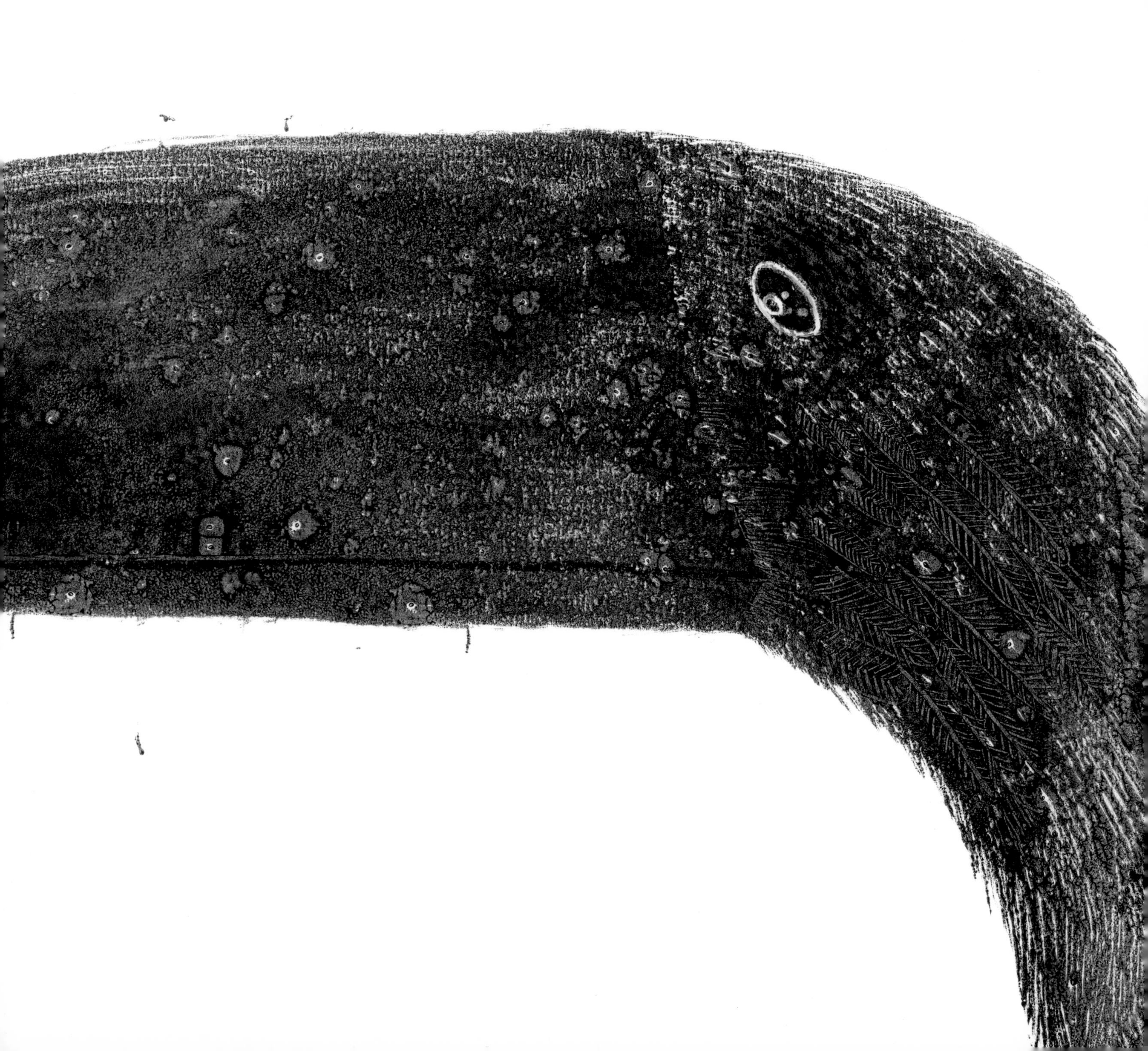

"El truco es acariciar los rayos del sol con mis alitas, y andar de flor en flor tomando néctar y lanzando polvos mágicos a mi alrededor", dijo colibrí y tornó a su labor. A brincos y saltos, Tokú trepó de árbol en árbol, hasta que el sol se deslizó por aquel pico de trompeta y al llegar al rabo lo tiñó de colorado.

"I got colors by touching the sun's rays with my wings," bragged Hummingbird. "And by sipping nectar from flower to flower, as I scatter magic pollen all around." Busy Hummingbird then got back to work. Jumping and hopping from tree to tree Tokú climbed until the sun's rays brushed his tail, leaving a small red kiss.

Otro día, entre las ramas, encontró al
pájaro trogón de colores majestuosos.
“¿Cómo los conseguiste?”,
preguntó Tokú fuera de sí.
“Cada color tiene su magia”,
exclamó trogón haciendo unos pases
misteriosos y ¡puff! desapareció.

The next day Tokú met Trogon,
who showed off wild colors all around:
“How did you get so lucky?” asked Tokú,
impressed by Trogon's scarlet breast.
“Every color has its magic,” Trogón said.
He took a few dainty steps
And—puff!- mysteriously he vanished!

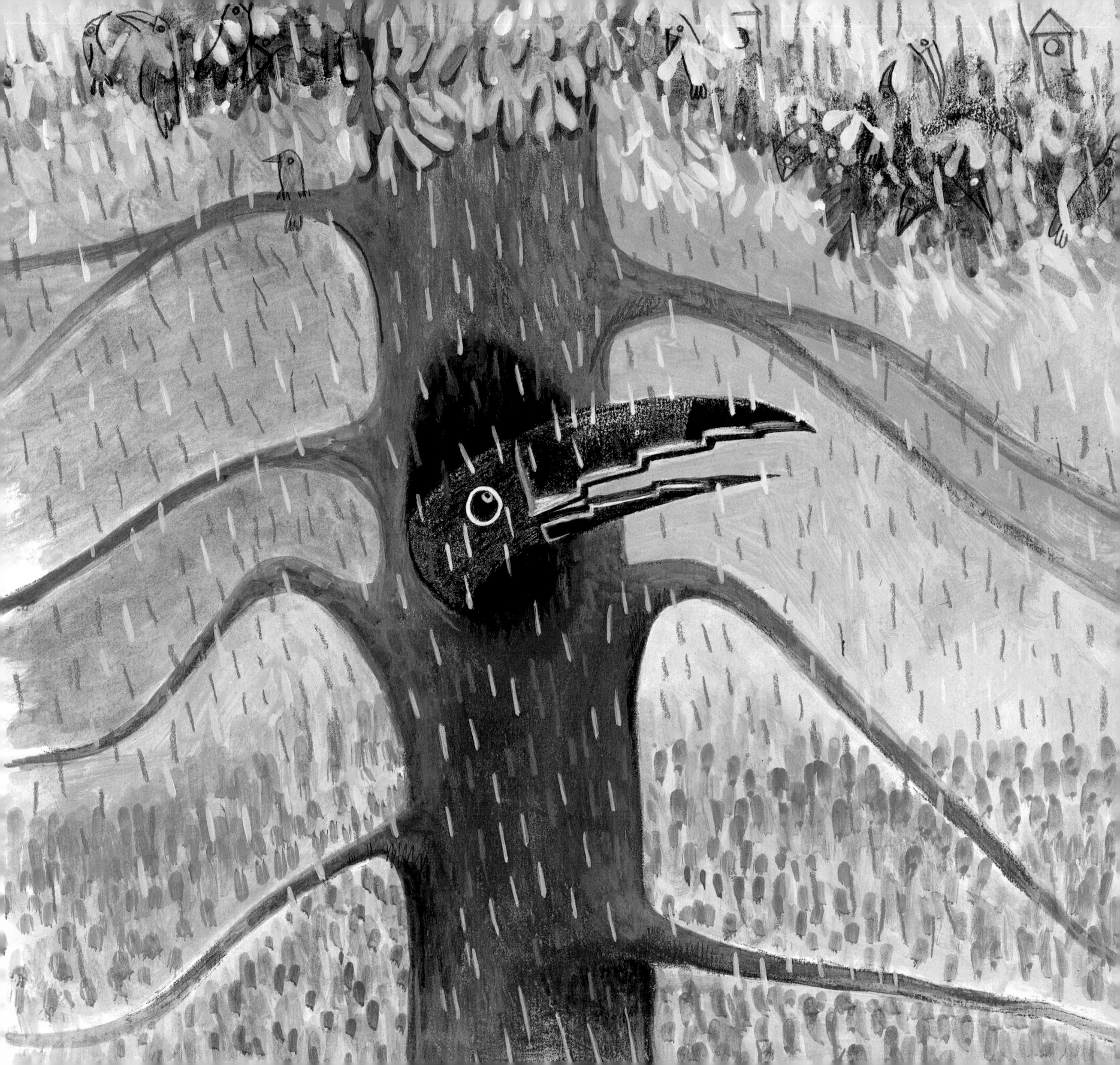

Tokú hizo trucos horas de horas y lo único
que consiguió fue que le cayera un rayo en el pico.
Y aunque no era una obra maestra,
aquel pico rayado le trajo nuevas sorpresas.

Desperate Tokú tried a few simple magic tricks,
until a yellow stripe appeared on his beak.
It wasn't much, but it was a treat.
That big striped beak was set to bring him new surprises.

Por ahí andaba la lapa roja de plumaje escandaloso.
“El truco es romper semillas y hacer lagartijas con
el pico”, dijo y empezó sus ejercicios.
Tokú estaba desesperado,
tenía el ánimo por el suelo y no aceptaba más consejos.

As Tokú flew by, Scarlet Macaw offered his advice,
squawking in a way that wasn’t nice.
“You want colors? Break seeds and exercise your beak.”
Tokú was about to give up.
He was tired of searching for the perfect look.

Para colmo de males, dio con el árbol de las aves.
“Yo conseguí mis colores jugando bajo la lluvia”,
dijo el pájaro campana.
“Yo, cantando por las mañanas”, dijo el jilguero.
“Yo, haciendo huecos en los troncos”, replicó
el pájaro carpintero.
En medio del jolgorio, Tokú descubrió a Titina la tucana.

Just when things couldn’t get any worse,
Tokú ran into the Tree of Birds.
“I got my colors by playing in the rain,” Bellbird sang.
“I got mine by singing in the mornings,” Wren trilled.
“Me, by making holes in trees,” Woodpecker knocked.
Tokú spied Titina, a female toucan, among the noisy herd.

Tokú estaba tan confundido que
salió huyendo de aquel plumerío.
Como un relámpago, cruzó la cascada
del arcoiris y algo extraño sucedió.

Tokú was so confused that he turned and ran.
On his way, bam!— straight into a rainbow he crashed.
He watched in shock as drops of color splashed.

Tokú al fin supo de que servía
tener un pico gigante.
Todos los colores del arcoiris se
posaron a su antojo y hasta sobró espacio
para dibujar y practicar combinaciones.

Finally, that giant beak came to Tokú's aid.
All the colors of the rainbow swirled across his
wide bill. Blue and violet, orange, yellow and
green, perfectly painted that ample space.

Tanta alegría en el plumaje,
tenía que escapar por alguna parte.
Titina estaba tan contenta de
haber encontrado pareja,
que los dos entraron al bosque
abrazando el arco iris y su oleaje.

So much joy couldn't stay trapped in this one bird.
Tokú turned around to show off his colors to his girl.
Titina was thrilled to have such a beautiful mate.
Together the two flew into the forest
following the rainbow's shining lights.

Y así fue como los tucanes pico iris
empezaron una nueva vida en el árbol más hueco y ruidoso del Bosque Eterno de los Niños, que se ha convertido en un refugio de aves inimaginables.

And so it was that the Rainbow-Billed Toucans began a new life in a trunk full of holes in The Children's Eternal Rainforest, a home to unbelievable birds.

www.pachangakids.com

info@pachangakids.com

Colección infantil bilingüe
Cuentos con música,
Libros de colorear y de actividades

Descarga gratis audio libros y canciones:
www.pachangakids.com

Children Books
Stories, Music, Coloring
and Activities Books

Free download audio books & songs:
www.pachangakids.com

El mar azucarado
Sea sweet sea

La Danta Amaranta
Amaranta the Tapir

Costa Rica Wow

Una Tortuguita sale del nido
A Turtle is Born

En busca del sapito dorado
In Search of the Golden Toad

El mono paparazzi
The paparazzi monkey

El mono paparazzi
Cuento de colorear
The paparazzi monkey
Coloring Book

El increíble viaje
de una tortuguita
A turtle incredible journey
Activities & Coloring Book